MISSION : ADOPTION

CHAMPION

Fais connaissance avec les chiots
de la collection *Mission : Adoption*

MISSION : ADOPTION

CHAMPION

ELLEN
MILES

Texte français de Martine Faubert

Éditions
SCHOLASTIC

Catalogage avant publication de Bibliothèque et Archives Canada

Miles, Ellen

Champion / Ellen Miles ; texte français de Claude Cossette.

(Mission, adoption)
Traduction de: Muttley.
Pour les 7-10 ans.

ISBN 978-1-4431-1445-5

1. Chiens--Romans, nouvelles, etc. pour la jeunesse. I. Cossette, Claude II.
Titre. III. Collection: Miles, Ellen. Mission, adoption.

PZ26.3.M545Cha 2011   j813'.6   C2011-901817-9

Illustration de la couverture : Tim O'Brien
Conception graphique de la couverture originale : Steve Scott

Édition publiée par les Éditions Scholastic,
604, rue King Ouest, Toronto (Ontario) M5V 1E1.

5 4 3 2 1   Imprimé au Canada 121   11 12 13 14 15

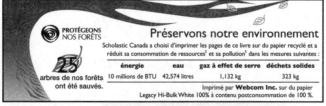

À Barley... bien entendu

CHAPITRE UN

— Par ici! lança Rosalie Fortin avec un signe de la main.

Elle avait l'impression d'être une vraie guide touristique. Rosalie aimait faire visiter Les Quatre Pattes, le refuge pour animaux où elle était bénévole. Depuis plus d'un an, elle donnait un coup de main à ce refuge où on accueillait les chiens et les chats qui avaient besoin d'une famille. Elle adorait ce travail, car elle adorait les animaux, surtout les chiens. Habituellement, Rosalie passait tous ses samedis après-midi à promener les chiens, à nettoyer les litières et à faire tout ce que Mme Daigle, la directrice, lui demandait.

Rosalie travaillait fort, mais il restait toujours des tâches à accomplir. Elle avait donc créé Les amis des animaux, un club pour les gens qui voulaient aider.

Maria, la meilleure amie de Rosalie, était tout de suite devenue membre et depuis peu, elle faisait aussi du bénévolat au refuge. Et voilà que Daphné et Bianca, deux camarades de classe, voulaient aussi faire partie du club. Rosalie leur faisait donc visiter le refuge.

Daphné et Bianca avaient beaucoup à apprendre pour devenir bénévoles. Mme Daigle leur donnerait une formation, mais elle avait demandé à Rosalie de leur faire visiter les lieux la première fois qu'elles viendraient. Rosalie avait passé tellement de temps au refuge qu'elle connaissait l'endroit comme le fond de sa poche. Jouer au guide était amusant, d'autant plus que Maria était là, elle aussi.

— Et voici la chatterie, annonça Rosalie en s'arrêtant devant une grande baie vitrée.

— *Pff,* fit Daphné en donnant un coup de coude à Bianca qui se mit à ricaner. Comme si je n'avais pas pu le deviner toute seule.

Rosalie jeta un regard furieux à Daphné. D'accord, c'était peut-être évident. Elles se trouvaient dans le corridor d'un refuge pour animaux et regardaient par une fenêtre une pièce remplie de chats : des chats noirs et des chats roux, des chats à poil long et des chats maigres, des chats dodus et des chats à six orteils, des chatons agités avec une maman calme et un vieux gros matou appelé Tommy qui accaparait toujours l'étagère du haut de l'arbre à chats. Oui, la pièce était pleine à craquer de chats. Tout le monde pouvait voir qu'il s'agissait de la chatterie, mais elle essayait simplement de leur faire la visite, comme Mme Daigle le lui avait montré. Rosalie n'aimait pas particulièrement Daphné, mais elle était consciente que le refuge avait absolument besoin de renforts.

Rosalie était heureuse d'ajouter des membres au club étant donné qu'ils n'étaient pas encore très nombreux. Son jeune frère, Charles, en faisait partie, de même que sa mère. Leur père était trop pris par son travail de pompier, et le Haricot, l'autre frère de Rosalie (qui s'appelait en réalité Adam), était trop petit.

Tous les Fortin adoraient les animaux. Ils les aimaient tant qu'ils étaient devenus une famille d'accueil pour chiots. Cela signifiait qu'ils prenaient soin des chiens sans foyer jusqu'à ce qu'ils leur trouvent une famille parfaite.

Les Fortin avaient beaucoup d'expérience avec toutes sortes de chiots. Mais celui qu'ils préféraient, un petit chien brun et blanc, s'appelait Biscuit. Au début, ils l'avaient pris dans le but de lui trouver un foyer, mais ils avaient fini par l'accueillir dans leur propre famille. Rosalie avait fait la connaissance de Biscuit au refuge, quand il était arrivé avec sa mère et deux autres chiots.

Maintenant, Rosalie souriait. La seule pensée de Biscuit lui réchauffait le cœur. C'était le chien le plus adorable et le plus gentil au monde. Elle adorait caresser la petite tache blanche en forme de cœur sur sa poitrine et murmurer des secrets dans ses oreilles soyeuses.

— Rosalie, lança Maria en lui plantant son coude dans les côtes. Tu n'étais pas en train de montrer la chatterie à Daphné et à Bianca?

Rosalie cligna des yeux.

Oups. C'est vrai.

Elle devait effectivement faire visiter le refuge à

ses camarades de classe.

— Oui, poursuivit-elle, voici donc la chatterie. Il y a beaucoup à faire ici, comme nettoyer les litières, s'assurer que les bols d'eau sont remplis d'eau propre et donner un coup de main au moment des repas. Et parfois, j'aide la vétérinaire à tenir les chats quand elle leur fait une piqûre.

— Ma chatte Jenny griffe chez le vétérinaire, fit remarquer Daphné, mais...

— D'habitude, ça va mieux quand tu enveloppes le chat dans une serviette, l'interrompit Rosalie. Il ne peut plus te griffer.

Elle entraîna le groupe plus loin dans le corridor en direction du chenil.

— Vous êtes prêtes pour les chiens? demanda-t-elle.

Derrière, Rosalie entendit Daphné chuchoter à Bianca :

— C'est ce que j'allais dire. On enveloppe toujours Jenny dans une serviette.

Rosalie savait qu'elle devrait probablement être heureuse que Daphné ait un peu d'expérience avec les animaux. Mais c'était elle la responsable de la visite, non? Peut-être que Daphné devrait plus écouter et moins parler.

— Je crois que j'entends Greta aboyer, observa Maria. Elle doit être prête à aller se promener.

— Oui, c'est bien Greta, confirma Rosalie. Elle sait que c'est l'heure de sortir.

— Je peux la promener, proposa Daphné. Où est sa laisse?

— Euh, Greta n'est pas facile, commença Rosalie, elle...

— Je peux m'en occuper, répondit Daphné. Où est sa cage? Je peux entrer dans le local?

— On dit le chenil, corrigea Rosalie en ouvrant la porte. Et Greta est dans la cage numéro un.

Il fallait qu'elle crie pour se faire entendre. Dès qu'elle ouvrit la porte, les chiens se mirent à aboyer : tous aimaient accueillir les nouveaux visiteurs. Rosalie montra du doigt le NUMÉRO UN peint à la main sur la première cage qu'elles croisèrent. Une laisse spéciale pour gros chien était suspendue à un crochet sur la porte.

Daphné jeta un coup d'œil dans la cage de Greta, puis se tourna vers Rosalie qui lui sourit.

— Tu veux toujours aller la promener? demanda Rosalie.

Greta était le plus gros chien que le refuge ait jamais hébergé, un bullmastiff à la robe roux doré, qui avait des taches noires sur son énorme et adorable face toute dégoulinante. Greta était gigantesque. Si elle s'était tenue sur ses pattes arrière, elle aurait été plus grande que Rosalie. Et probablement même plus grande que le père de Rosalie.

Rosalie remarqua la surprise de Daphné qui haussa les épaules et répondit :

— Bien sûr, pourquoi pas?

Ce fut au tour de Rosalie de hausser les épaules.

— Bon, d'accord, dit-elle.

Daphné verrait d'elle-même à quel point il pouvait être difficile de contrôler Greta. Rosalie s'assura que la porte principale du chenil était fermée.

— Ouvre la porte de sa cage, juste assez pour attacher la laisse. Ensuite, emmène-la au bout de l'allée et sors par là-bas, indiqua Rosalie en désignant une porte qui donnait sur l'enclos extérieur.

Daphné se redressa et prit une profonde inspiration. Elle décrocha la laisse et souleva le loquet de la cage de Greta. Ensuite, elle glissa une main à l'intérieur, attacha la laisse au collier du chien, puis regarda Rosalie avec un grand sourire.

— Pas de problème, dit Daphné.

— Ouvre la porte lentement! l'avertit Rosalie.

Comme elle s'y attendait, Greta se précipita hors de sa cage. Rosalie regarda le chien entraîner Daphné dans l'allée en fonçant droit devant, tel un avion s'apprêtant à décoller.

— Aaaaah! cria Daphné accrochée au bout de la laisse.

Rosalie retint un rire et jeta un regard à Maria, qui secoua la tête. Rosalie savait ce que son amie pensait. Elle aurait probablement dû dire à Daphné que Greta ne savait pas marcher en laisse sans tirer avec la force d'un bœuf.

Dix minutes plus tard, tandis que Rosalie montrait à Bianca comment rincer les bols d'eau des chiens,

Greta rentra en remorquant Daphné. Elle avait les genoux couverts de boue, la manche de sa veste était déchirée et ses cheveux étaient tout ébouriffés et emmêlés.

— Greta est formidable, n'est-ce pas? fit Rosalie en ouvrant la porte de la cage du gros chien pour Daphné.

— Formidable, tout à fait formidable. Quel est le suivant? ajouta la jeune fille en frottant ses genoux pour enlever la boue.

Hummm.

Constatant que Daphné n'admettrait jamais qu'elle n'avait pas réussi à contrôler Greta, Rosalie décida de lui lancer un autre défi. Après tout, il était important de s'assurer que les nouveaux bénévoles pouvaient surmonter n'importe quoi.

—Un chien beaucoup plus calme, annonça Rosalie. En fait, il s'agit d'un chiot. Il s'appelle Champion.

CHAPITRE DEUX

Pendant que Maria aidait Bianca à préparer un autre chien pour la promenade, Rosalie emmena Daphné à la cage numéro quatre.

— Voici Champion, dit-elle.

Dans la cage, un chiot marron clair et brun était roulé en boule sur son lit vert. Il avait des oreilles pendantes, un nez noir et de mignonnes petites taches brunes au-dessus des yeux qui lui dessinaient des sourcils.

— Il est trop mignon, fit Daphné. Salut, Champion!

Champion ouvrit un œil brun pour regarder Daphné. Puis il soupira, étira ses pattes et se rendormit.

— De quelle race est-il? demanda Daphné.

— C'est un mélange de berger allemand et de

Walker hound, répondit Rosalie. Je l'ai tout de suite deviné. (Rosalie avait presque appris par cœur l'affiche des « Races de chiens dans le monde » accrochée au mur de sa chambre.) Il n'a que six mois. Une fois adulte, il sera de taille moyenne.

— Bonjour petit chou, dit Daphné.

Les sourcils de Champion tressaillirent, mais il ne se réveilla pas.

Champion adorait dormir. Chaque fois que Rosalie venait au refuge, Champion dormait. Il ne se levait pas d'un bond comme les autres chiens. Il ne mettait pas ses pattes sur la porte de sa cage pour quémander une petite friandise. Il ne s'amusait pas non plus avec ses jouets. Il restait couché sur son lit vert et dormait. Il n'était pas triste : il remuait la queue quand quelqu'un s'approchait et il était toujours content de voir Rosalie. Champion aimait tout simplement dormir. Il lui arrivait de ronfler un peu. Parfois aussi, mais pas souvent, il s'asseyait, regardait tout autour et jappait un coup. Un jappement profond et rauque qui se terminait dans un hurlement mélancolique de chien de meute :

aaaoooooowww. Puis il faisait le tour de son lit trois ou quatre fois, avant de retourner à sa sieste.

— Il n'est pas très enjoué, constata Daphné, le regard fixé sur Champion.

Rosalie secoua la tête.

— Est-ce qu'il a quelque chose? demanda Daphné. Je veux dire, est-ce qu'il est malade?

Rosalie secoua la tête à nouveau.

— La vétérinaire l'a examiné à son arrivée. Elle l'a aussi revu la semaine dernière parce que nous nous demandions tous pourquoi il dormait tout le temps. Mais elle dit qu'il est en parfaite santé.

— Il est ici depuis longtemps? s'informa Daphné en se penchant pour passer un doigt à travers le grillage et caresser la tête de l'animal.

Champion remua dans son sommeil, mais n'ouvrit pas les yeux.

— Cela fait environ trois semaines, répondit Rosalie.

Elle se sentait mal pour Champion. Quand les gens venaient adopter un chien, ils avaient un faible pour ceux qui faisaient le beau et les regardaient.

Personne n'aimait les chiens qui sautaient et jappaient à tue-tête, mais personne ne semblait non plus attiré par ce chiot tranquille. Rosalie pouvait comprendre. Pourquoi adopter un chiot qui ne fera que dormir, dormir et dormir encore?

— Tu veux le promener quand même? Il a vraiment besoin de sortir prendre l'air.

— Bien sûr, répondit Daphné.

Elle saisit la laisse bleue de Champion accrochée à la porte de la cage, souleva le loquet et entra pour l'attacher à son collier. Champion ne se leva pas. Il se retourna en poussant un grognement.

— Allez, Champion, l'encouragea Daphné. Tu ne veux pas aller te promener?

Elle tira sur la laisse; Champion grogna encore et mit une patte sur sa tête.

Laisse-moi tranquille. J'ai sommeil.

Rosalie gloussa. Elle imaginait très bien ce qui se passait dans la tête de Champion.

Daphné fronça les sourcils :

— Comment vais-je faire? Ah, peut-être que...

Rosalie l'interrompit.

— Parfois si tu as une friandise, ça l'intéresse.

Elle plongea la main dans sa poche pour en sortir un des minibiscuits qu'elle avait toujours sur elle au refuge, et le tendit à Daphné.

— C'est ce que j'allais dire, fit Daphné en relevant la tête avec dédain. Tu veux un biscuit Champion? Un bon biscuit?

Elle le plaça sous son nez. Champion prit délicatement le biscuit, le croqua et l'avala. Puis il poussa un soupir, replia ses pattes sous lui pour plus de confort et retourna au pays des rêves. Daphné poussa un profond soupir.

— Tu n'as qu'à le prendre, conseilla Rosalie.

Daphné fronça les sourcils.

— C'est ce que j'allais faire, rétorqua-t-elle.

Elle se mit à genoux et prit le petit chiot paresseux dans ses bras.

— Pas comme ça! intervint Rosalie. Mets ta main sous son ventre.

Daphné lui jeta un regard furieux, mais elle changea la position du chiot dans ses bras.

— Ma cousine est vétérinaire, et elle m'a montré comment tenir un chiot. Elle a dit que c'était bien comme ça. Bon, ajouta-t-elle, je crois que je vais devoir te porter jusqu'à l'extérieur.

Ce fut à peine si Champion ouvrit un œil lorsqu'elle traversa le couloir et sortit du chenil.

Bianca et Maria avaient fini de promener les chiens. Pendant que Daphné s'occupait de Champion, Rosalie montra à Bianca comment laver au jet une cage vide afin qu'elle soit prête à accueillir le chien suivant. Il y avait toujours un « chien suivant » au refuge, c'était la triste réalité. Il y avait tellement d'animaux abandonnés sur la planète.

Lorsque Daphné revint, Champion marchait en laisse à côté d'elle. Il bâilla en entrant dans sa cage et se dirigea tout droit vers son coussin.

Ouf. Je suis content que ce soit terminé. Je suis prêt pour une petite sieste.

Les quatre filles se regroupèrent devant la cage pour regarder le chiot endormi.

— Il est adorable, commenta Bianca. Je ne peux

pas croire que personne n'ait voulu l'adopter.

Mme Daigle, qui venait d'entrer dans le chenil, s'approcha d'elles.

— Les gens aiment les chiots qui ont de l'entrain, déclara-t-elle. Je crois qu'il est un peu trop calme. Je commence à m'inquiéter pour lui. Il lui faudrait rapidement un foyer d'accueil, pour qu'il apprenne à vivre avec les gens alors qu'il est jeune.

— Pourquoi est-ce que ta famille ne le prend pas? demanda Daphné à Rosalie. Je croyais que vous gardiez tout le temps des chiots chez toi.

Rosalie hocha la tête.

—Nous avions déjà un autre chiot quand Champion est arrivé ici, répondit-elle. Et puis… je ne sais pas. Je n'y avais juste pas pensé.

Elle regarda Champion. Il était vraiment mignon, mais elle n'avait pas eu de coup de cœur pour lui. Peut-être était-elle comme ces gens dont parlait Mme Daigle, ceux qui préféraient les chiots avec de l'énergie et de la personnalité. Champion était tellement tranquille qu'on en oubliait presque qu'il était là.

— C'est une excellente idée! approuva la directrice. Je n'aimerais pas que Champion reste ici trop longtemps. Peut-être que dans une maison, surtout dans une maison avec un chiot dynamique comme Biscuit, il aura de l'énergie et quelqu'un voudra l'adopter.

— Je l'espère, répondit Rosalie, mais je dois le demander à mes parents. Ce n'est peut-être pas le bon moment. Ma mère n'est pas là, elle est partie voir sa sœur en Ontario.

En disant cela, elle eut un pincement au cœur. Rosalie avait été tellement occupée au refuge qu'elle avait presque oublié que sa mère ne serait pas là à son retour. Elle était partie la veille, lundi, et elle ne serait pas de retour avant le lundi suivant. C'était long, une semaine. Mais la sœur de sa mère, tante Julie, venait de subir une grosse opération et elle avait besoin de son aide.

Au moment de partir, Rosalie avait presque oublié Champion tant elle avait eu de choses à montrer aux autres, et d'explications à leur donner sur les chiens et leur comportement. Mais lorsque son père vint les chercher, Maria et elle, Mme Daigle lui parla de Champion. M. Fortin retourna dans le chenil jeter un œil sur le chien.

— Salut mon vieux, dit-il en regardant dans la cage.

Champion ouvrit un œil et regarda M. Fortin. Il battit de la queue.

— Il n'a pas l'air malcommode. Je crois qu'on s'en sortira, même en l'absence de maman. Je parie qu'on arrivera à lui trouver un foyer avant qu'elle revienne. Ça nous fera plaisir de le prendre. N'est-ce pas Rosalie?

Rosalie regarda Champion. Ce n'était pas le chiot le plus excitant au monde, mais il était adorable, aucun doute là-dessus. Rosalie se souvint aussi de Husky, un chien que sa famille avait hébergé. Au début, lui aussi avait l'air endormi et paresseux. Mais elle était tombée amoureuse de lui, comme de chaque chiot que sa famille adoptait. Pourquoi Champion ferait-il exception?

— D'accord, répondit-elle.

CHAPITRE TROIS

À l'école le lendemain, Maria demanda à Rosalie comment allait Champion.

Rosalie finit de lécher le couvercle de sa compote de pommes : elle aimait manger son dessert en premier au dîner.

— Il a l'air bien. Il ne fait que dormir. Je l'appelle Dormeur parce qu'il me rappelle le nain dans Blanche-Neige, tu sais, celui qui arrive à peine à garder les yeux ouverts.

Maria éclata de rire.

— Et comment réagit Biscuit?

— Biscuit est déboussolé, répondit Rosalie. Il adore jouer avec d'autres chiots, mais Champion n'en pas envie.

Rosalie termina sa compote et déballa son

sandwich. Dinde sur pain au blé entier? Son père ne savait-il donc pas qu'elle détestait les sandwichs à la dinde? Sa mère ne lui en donnait jamais.

— Je suis certaine que Champion a plein de qualités, déclara Maria.

Elle tendit son sandwich à son amie (thon sur pain pita) avec un regard interrogateur. Rosalie hocha la tête et elles firent l'échange.

— Bon, il est terriblement mignon et papa pense qu'il est très intelligent, reconnut Rosalie. Il le voit à la façon dont Champion nous regarde quand on lui parle : droit dans les yeux. Ça, c'est quand il ne dort pas. Je suppose qu'il doit cela à son côté berger allemand.

Elle mordit dans son sandwich.

— Bref, papa pense qu'on n'aura aucun problème à lui trouver un foyer, reprit-elle. J'espère qu'il a raison. Maman n'était pas contente d'apprendre que nous avions accepté d'héberger un chiot en son absence. Elle a dit qu'elle avait besoin d'une pause et qu'elle espérait revenir dans une maison avec un seul chiot. On a dû lui promettre de trouver une famille à Champion avant son retour.

Rosalie leva les yeux et aperçut Daphné et Bianca quitter la file des repas chauds. Plateau en main, elles se dirigèrent vers leur table et s'assirent en face des deux amies.

Rosalie fit de son mieux pour ne pas faire la grimace devant le dégoûtant pâté chinois dans leur assiette. Même son sandwich à la dinde était plus appétissant que ça.

— Alors, quand allez-vous revenir au refuge? leur demanda-t-elle.

Daphné et Bianca échangèrent un regard.

— En fait, ça ne sera pas possible avant quelque temps, annonça Daphné.

— Euh, en effet, confirma Bianca. Nous sommes toutes les deux plutôt occupées.

— Tu ne devrais peut-être pas compter sur notre aide au refuge, lâcha Daphné.

— Oui, je ne pense pas non plus avoir du temps à donner au club, ajouta Bianca.

— Je ne comprends pas. Mais pourquoi? fit Rosalie.

Aucune des deux filles ne répondit. Rosalie se

tourna vers Maria, mais son amie regardait ailleurs. Elle semblait soudain fascinée par son sandwich.

— Bon d'accord, lança Rosalie en se retournant vers Daphné et Bianca. Si vous ne voulez pas faire partie du club et aider les animaux, je ne peux pas vous forcer. Il y a plein d'autres personnes qui veulent participer.

Elle ne leur dit pas que la plupart des autres étaient petits (les amis de Charles). Et alors? Même les petits pouvaient aider les animaux.

— Je viendrai. J'ai entendu parler de ton club. Je veux en faire partie.

Rosalie leva les yeux pour voir qui parlait.

Oh non.

— Salut Jimmy, dit-elle. Euh, le club est complet maintenant.

— Mais j'adore les animaux! s'exclama Jimmy en se glissant sur le banc à côté de Bianca.

Ce faisant, il renversa son berlingot de lait au chocolat à moitié plein.

— Oups, fit Jimmy. Excuse-moi, Bianca, pardon.

Il se releva d'un bond pour saisir une pile de

serviettes de papier, puis répandit le lait au chocolat partout sur la table et le plancher.

C'était exactement pour cela que Rosalie ne voulait pas de Jimmy Johnson au club. Il était dans sa classe et il dérangeait toujours tout le monde, c'était déjà bien assez. Il parlait tout le temps, se levait d'un bond et renversait les choses. Même quand il était assis, il fallait qu'il agite quelque chose : soit sa jambe remuait comme l'aiguille d'une machine à coudre, soit sa main faisait tambouriner un crayon sur le bureau. Parfois, on aurait juré que Mme Hamel répétait la même chose toute la journée : « Jimmy, calme-toi. Jimmy, c'est au tour de quelqu'un d'autre de parler. Jimmy, on ne fait pas ça en classe. »

Rosalie savait que Jimmy ne faisait pas *exprès* d'agir ainsi.

— Tu pourrais te joindre à un autre club, suggéra-t-elle.

— Mais je sais très bien m'y prendre avec les chiens. Mon grand-père m'appelle…

Mais Jimmy fut interrompu par la cloche. Il était temps de se mettre en rang et de retourner en classe.

— Tu ne devrais peut-être pas lui dire non trop vite, murmura Maria à Rosalie tandis qu'elles jetaient leur reste de sandwich dans le bac à compostage.

— Tu plaisantes? chuchota Rosalie. Il va rendre les animaux fous avec toute son énergie.

Maria haussa les épaules.

— Peut-être, laissa-t-elle tomber en froissant son sac à repas pour le jeter à la poubelle. Mais je parie que Mme Daigle aimerait avoir plus d'aide. Et si Daphné et Bianca n'ont plus l'intention de faire partie du club, il te faudra d'autres membres.

— Oh, elles reviendront, déclara Rosalie tandis qu'elles se mettaient en rang derrière Mme Hamel près des portes de la cafétéria.

— Je n'y compterais pas, laissa tomber Maria.

Rosalie leva des yeux étonnés sur son amie.

— Pourquoi?

Mais Maria avait le regard concentré sur ses espadrilles.

— Maria, pourquoi est-ce qu'elles ne veulent pas faire partie du club? insista Rosalie. Il y a quelque chose que je devrais savoir?

Rosalie la fixa jusqu'à ce que son amie finisse par la regarder dans les yeux.

— Elles pensent... euh, j'ai entendu Daphné dire que tu étais autoritaire, une mademoiselle je-sais-tout, répondit Maria d'une voix précipitée et très basse.

Puis elle regarda à nouveau ses espadrilles.

— Autoritaire? Moi?

Mme Hamel leur fit signe de la main.

— Allons-y, les enfants, lança-t-elle.

Elle sortit de la cafétéria et entraîna ses élèves dans le corridor, pour ensuite emprunter l'escalier qui les ramènerait dans leur salle de classe. Les mains sur les hanches, Rosalie ne bougea pas. C'était presque drôle que Daphné dise cela. Daphné Brunet était la mademoiselle je-sais-tout. La plus grande mademoiselle je-sais-tout de la quatrième année.

— Voyons, c'est une blague. Tout ce que j'ai fait, c'est leur montrer le refuge, protesta-t-elle.

Maria haussa les épaules.

— Je pense qu'il ne s'agit pas de ce que tu as fait,

répondit-elle, mais de comment tu l'as fait. Tu n'y peux rien, vraiment. Tu sais énormément de choses sur le refuge, les animaux et les meilleurs soins à leur donner.

Elle tira Rosalie par la manche.

— Viens, insista-t-elle.

Maria entraîna Rosalie dans le corridor à la suite de Mme Hamel et du groupe.

— Exactement, j'essayais de partager mes connaissances avec elles. Qu'est-ce qu'il y a de mal là-dedans? s'indigna Rosalie.

Elle secoua la tête. Certaines personnes ne comprenaient rien du tout.

— Rien, répondit Maria tandis qu'elles entraient dans leur salle de classe. Simplement... il y a peut-être des façons de faire qui sont meilleures que d'autres.

CHAPITRE QUATRE

— Bobinette! hurla Rosalie en lançant un vieux mouton en peluche à Charles.

Charles attrapa la peluche et partit en courant vers l'escalier, puis il pivota et relança le jouet à Rosalie.

— Bobinette! s'écria-t-il.

Biscuit allait et venait à toute vitesse, dérapant sur le plancher chaque fois qu'il tentait un virage rapide pour attraper la peluche en plein vol. Les oreilles en état d'alerte maximum, les yeux pétillants, il aboyait et faisait tourner sa queue comme une hélice. Biscuit adorait jouer à Bobinette.

Rosalie aussi, surtout lorsque ça lui permettait de penser à autre chose que... que ce qui était arrivé à l'école ce jour-là. Daphné Brunet pouvait bien penser ce qu'elle voulait! Mais Rosalie sentait une boule dans son estomac chaque fois qu'elle se rappelait les paroles de Daphné. Elle aurait tant aimé en parler avec sa mère, mais elle n'était pas là.

— Bobinette, Bobinette, Bobinette! scanda-t-elle en tenant la peluche loin au-dessus de la tête de Biscuit.

Rosalie ne se rappelait plus très bien comment ni quand ce jeu avait été inventé, mais elle savait que Bobinette venait d'une vieille chanson que son père aimait. C'était lui qui avait donné ce nom au mouton en peluche. Dans l'histoire du Petit Chaperon rouge, il était aussi question d'une Bobinette : « tire la chevillette et la bobinette cherra », mais ça c'était une autre histoire... Charles, Rosalie et Biscuit avaient inventé le jeu, qui était un mélange de prises au vol, de football-toucher et de jeux de passes auxquels s'ajoutaient des espiègleries ici et là.

Leur mère ne l'aimait pas beaucoup.

— C'est trop actif pour l'intérieur, répétait-elle.

Mais Mme Fortin n'était pas là et leur père n'avait rien contre le fait que Rosalie et Charles jouent à

Bobinette. Il était parfaitement d'accord si cela pouvait faire bouger Champion.

— Il faut activer ce chien si on veut lui trouver un foyer, avait-il dit.

Le jeu avait fonctionné, mais pas longtemps. Champion avait tout de suite participé, pourchassant la peluche qui virevoltait d'une main à l'autre. Mais maintenant, où était ce paresseux?

Biscuit bondit et lui arracha la peluche des mains. Puis il s'élança vers le salon et fit trois tours du canapé en la secouant, tout content.

Yééééh! Je l'ai eue!

Pour la première fois depuis le dîner, Rosalie éclata de rire. Les chiens étaient merveilleux pour ça. Ils faisaient rire, même quand on se sentait très mal. Elle partit à la recherche de Champion.

— Qu'est-ce que tu fais là-haut? demanda-t-elle au chiot lorsqu'elle le trouva endormi dans le couloir à l'étage, devant la chambre du Haricot.

Rosalie s'assit par terre à côté de l'animal et caressa ses oreilles pendantes. Champion étira ses pattes et laissa échapper un soupir de contentement.

Aaaaah, comme c'est bon.

— Il semble que ce soit son coin préféré ces temps-ci, observa son père qui montait l'escalier. J'ai remarqué qu'il était allé jeter un œil sur le Haricot hier pendant sa sieste. Puis il s'est couché à côté de la porte, comme s'il montait la garde. J'imagine qu'il en a pris l'habitude maintenant, bien que le Haricot soit à la garderie aujourd'hui.

— C'est gentil, dit Rosalie. Bon chien. C'est un petit chasseur endormi, mais il aime aussi prendre soin des siens, comme un berger.

Rosalie se rappela à quel point Mme Daigle avait été impressionnée quand elle avait deviné le mélange de races de Champion. Rien de plus facile. Rosalie avait remarqué que les longues oreilles et les taches sur sa tête étaient caractéristiques du Walker hound, alors que sa couleur brun et marron clair ainsi que sa longue queue recourbée étaient propres au berger allemand. Mme Daigle, elle, ne prenait pas Rosalie pour une mademoiselle je-sais-tout. Ou peut-être que si?

Rosalie souleva le chiot endormi et tout chaud pour le poser sur ses genoux, et déposa un baiser sur le doux poil noir de son nez. Elle se rappela que la journée précédente, au refuge, elle avait montré à Bianca la meilleure façon de nettoyer le bol d'un chien. Elle avait enlevé le bol des mains de Bianca, l'avait frotté elle-même en lui expliquant qu'il fallait utiliser de l'eau très chaude, beaucoup de savon et s'assurer de bien rincer.

Hum. Peut-être que Bianca aurait pu y penser toute seule.

En y réfléchissant bien, Rosalie comprenait comment cette attitude aurait pu *ressembler* à celle d'une personne autoritaire.

Puis, elle se rappela comment elle avait interrompu Daphné qui essayait d'exprimer son point de vue sur la façon de prendre soin des animaux et comment elle avait corrigé sa manière de prendre Champion. Était-ce le comportement d'une mademoiselle je-sais-tout?

— Qu'en penses-tu, Champion? demanda Rosalie.

Champion ouvrit un œil et lécha la main de Rosalie.

Je pense que j'aime ta manière de me faire des câlins.

Rosalie se demanda ce qu'il faudrait faire pour que Daphné et Bianca lui donnent, comme au refuge, une deuxième chance.

Plus tard, tandis que Rosalie aidait son père à préparer le souper, elle l'interrogea :

— Papa, me trouves-tu autoritaire? Crois-tu que je suis une mademoiselle je-sais-tout?

M. Fortin sourit en remuant le chili qui mijotait dans le gros fait-tout, remplissant la cuisine d'odeurs délicieuses. Son père avait appris à cuisiner longtemps auparavant, lorsqu'il était apprenti pompier et vivait à la caserne. Les pompiers, qui avaient très bon appétit, aimaient les repas consistants. Les spécialités de son père étaient les crêpes aux bleuets et le chili. En fait, maintenant qu'elle y pensait, Rosalie se rendait compte que c'étaient les deux seules choses qu'il avait jamais préparées.

— Et bien, dit-il, tu as parfois... beaucoup de caractère.

Au même moment, Charles entra dans la cuisine, et prit quelques bretzels ainsi que des biscuits pour chiens.

— Il veut dire que oui, tu es autoritaire, déclara son frère. Je dirais même, très, très autoritaire.

— Ça suffit, jeune homme. Non, je voulais dire que tu en connais beaucoup sur certains sujets, comme les chiens, par exemple, poursuivit son père, et que tu n'as pas peur de dire ce que tu penses. Certaines personnes pourraient appeler ça être autoritaire ou une mademoiselle je-sais-tout. Moi, je dis que c'est simplement toi, ma Rosalie.

M. Fortin enlaça sa fille en la soulevant de terre.

— Tu es ma petite fille adorée, lui murmura-t-il à l'oreille. Et ta maman et moi, on sera toujours fiers de toi.

CHAPITRE CINQ

Mme Fortin téléphona juste au moment où ils finissaient de souper. Après qu'elle eut donné les dernières nouvelles sur l'état de santé de tante Julie (beaucoup mieux, mais toujours de la difficulté à se déplacer) et que Charles lui eut fait un rapport sur Champion (toujours endormi, pas encore de domicile fixe), Rosalie prit le téléphone et lui raconta ce qui s'était passé durant la journée.

— Cette vilaine Daphné Brunet a dit que j'étais autoritaire, une mademoiselle je-sais-tout, dit-elle.

— Ce n'était pas très gentil de sa part, observa Mme Fortin. Mais ce n'est peut-être pas ce qu'elle voulait dire. Daphné t'envie peut-être un peu de si bien connaître les animaux.

— Je n'avais pas pensé à cela, fit Rosalie. Mais,

maman, trouves-tu que je suis autoritaire parfois?

Mme Fortin ne dit rien pendant quelques secondes.

— Maman?

— Oui, parfois, répondit finalement sa mère. Il t'arrive de donner des ordres aux autres, à tes frères, par exemple. Mais tu es aussi une grande sœur gentille et attentionnée, et ils sont chanceux de t'avoir.

Ce fut au tour de Rosalie de rester silencieuse un instant.

— Tu me manques, maman, finit-elle par dire.

Elle renifla et s'essuya les yeux en lui disant au revoir.

— On se fait un petit spécial? proposa M. Fortin une fois que Rosalie eut raccroché. Pourquoi pas une soirée cinéma?

— Vraiment? Un soir de semaine? s'étonna Rosalie.

Habituellement, les soirées vidéo étaient réservées à la fin de semaine. Elle eut le pressentiment que son père avait compris à quel point elle était triste en raccrochant.

— Pourquoi pas? fit M. Fortin. Il est encore tôt,

alors vous pourrez probablement aller au lit à l'heure habituelle. Ou juste un peu après. Pas la peine d'en parler à maman. Ce sera notre secret.

Il mit un doigt sur ses lèvres.

— Youpi! s'écrièrent-ils tous en chœur.

Charles, Rosalie et le Haricot adoraient s'entasser dans le grand lit de leurs parents pour visionner un film.

— Est-ce qu'on peut apporter notre crème glacée là-haut? demanda Charles.

C'est qu'il y avait un autre spécial : M. Fortin était rentré à la maison avec de la crème glacée napolitaine *et* de la sauce au chocolat.

— Hum, fit M. Fortin. Vaudrait mieux pas.

Rosalie pouvait très bien s'imaginer le résultat : le Haricot + crème glacée + sauce au chocolat + lit = ouache! À son retour, Mme Fortin ne serait pas contente de trouver un tel gâchis. Elle hocha la tête.

— Nous pouvons manger la crème glacée ici, en bas, avant le film, suggéra-t-elle.

Ils apportèrent leur bol au salon et Rosalie installa le Haricot à la table basse en n'oubliant pas une bonne pile d'essuie-tout, juste au cas. Elle s'assit par terre tout près et attira Champion à elle pour lui faire un câlin. Le chiot posa sa tête sur son genou en poussant un soupir de contentement.

Il y a tellement de coins agréables pour faire la sieste ici. J'aime cet endroit.

Rosalie caressait ses douces oreilles entre deux bouchées de crème glacée. Elle essayait toujours de terminer en même temps les parfums chocolat et fraise, sans jamais se préoccuper de la vanille.

Charles et le Haricot jouaient avec Biscuit tout en mangeant leur crème glacée. Biscuit était toujours prêt à jouer. Il grognait, glapissait et tirait sur M. Canard, son jouet favori, que Charles ne lâchait pas. Lorsque Charles le laissait gagner, il s'enfuyait avec M. Canard dans un coin du salon en espérant que quelqu'un tenterait de le rattraper. Puis il revenait se pavaner devant Charles, lui agitant M. Canard sous le nez jusqu'à ce que le garçon reprenne le jeu. L'activité principale du Haricot consistait à rire, à pousser des sons aigus et à crier :

« Viens, Bicuit! Donne le jouet! » et à rire encore jusqu'à ce qu'il tombe assis par terre. *Boum*! Après un moment de silence, il recommençait à rire.

— Quel film allons-nous regarder? demanda Charles.

Il étala en éventail les trois films que M. Fortin avait apportés.

— Lui-là, fit le Haricot en saisissant celui qui avait pour vedette un lapin en peluche violet.

Charles et Rosalie poussèrent un grognement.

— C'est pour les bébés, protesta Rosalie.

— Pourquoi pas celui-ci? suggéra Charles en brandissant un film sur des robots qui devenaient vivants.

Rosalie l'écarta de la main.

— C'est nul, déclara-t-elle en attrapant le dernier film. On va regarder celui-là. Ça sera génial.

Charles allait dire quelque chose, mais se contenta de hausser les épaules.

— Pas étonnant, fit-il à voix basse.

Rosalie fronça les sourcils.

— Qu'est-ce que tu as dit? Qu'est-ce qui n'est *pas étonnant*?

— Pas étonnant que Daphné te trouve autoritaire, répondit Charles en baissant les yeux vers le DVD dans sa main. Je suis désolé de te dire ça, mais Sammy et David sont plutôt d'accord avec Daphné. Ils ont vu comment tu agis et ils ne veulent pas être contrôlés non plus. Alors, euh, ils ont changé d'avis et n'aideront pas au refuge.

Rosalie secoua la tête. Que dire? Pas de Daphné ni de Bianca. Pas de Sammy ni de David. Est-ce qu'il ne restait que Jimmy Johnson à vouloir faire partie du club? Elle se leva et se dirigea vers l'escalier.

— Bon, allons regarder le film.

Le film racontait l'histoire d'un garçon qui vivait en Alaska, et participait à une course de chiens de traîneau avec sa meute de huskys. Rosalie savait que le film serait captivant. Elle n'arrivait pas à croire qu'elle avait déjà elle-même conduit un traîneau tiré par des chiens. C'était une des choses les plus incroyables qu'elle ait jamais faites.

Même quand elle était triste, peut-être *surtout* quand elle était triste, Rosalie adorait se pelotonner dans le lit de ses parents avec les oreillers si moelleux, la douillette chaude et l'odeur réconfortante qui l'aidait à dormir. Le Haricot vint se blottir contre elle tandis que Charles et Biscuit s'allongeaient dans l'autre sens au pied du lit, leur place préférée. M. Fortin démarra le film puis descendit au rez-de-chaussée pour vérifier ce que faisait Champion et nettoyer la cuisine.

Le film était aussi captivant que Rosalie l'avait imaginé. Elle oublia tout ce que Charles lui avait dit, et même les paroles de Daphné, en regardant les magnifiques chiens aboyer en tirant le traîneau dans un paysage enneigé. Et pourtant, peut-être parce qu'elle était si bien, elle ne cessa de s'endormir et de se réveiller en sursaut, en constatant qu'elle avait manqué toute une séquence du film.

Elle était encore en train de sommeiller quand des jappements la réveillèrent. Ils provenaient du rez-de-chaussée, pas du film. C'était un aboiement rauque suivi par un long hurlement *aaaoooooowww*. Champion!

Les aboiements se rapprochaient. Ils étaient accompagnés de bruits de pas résonnant lourdement dans l'escalier.

— Ils sont ici, Champion, annonça M. Fortin en ouvrant la porte de la chambre à coucher. Ils sont sains et saufs, tu vois?

Champion sauta sur le lit et alla lécher chacun des visages : d'abord Charles, puis le Haricot et finalement Rosalie. Ensuite, il se blottit entre Rosalie et le Haricot, soupira et s'assoupit aussitôt.

Mon boulot est terminé. C'est l'heure de la sieste.

Rosalie caressa la tête de Champion.

— Qu'est-ce qui se passe? demanda-t-elle.

M. Fortin secoua la tête.

— Je n'en reviens pas à quel point ce chien est futé, dit-il. Aux dernières nouvelles, il dormait dans le salon. Mais il doit s'être faufilé à l'étage pour voir si vous étiez tous dans vos lits. Quand il ne vous a pas trouvés, il est descendu au galop en jappant à tue-tête pour me faire savoir que vous aviez disparu.

— Il a oublié de regarder ici, observa Charles.

— Pourquoi l'aurait-il fait? Il sait déjà où chacun dort normalement. Mais je parie qu'il n'oubliera jamais d'aller vérifier dans cette chambre, déclara M. Fortin en s'assoyant sur le lit pour caresser Champion. Ce chiot va devenir un chien génial. Il faut que nous le fassions connaître. Quelqu'un voudra bien d'un chiot intelligent comme ça.

Champion leva le museau vers M. Fortin en bâillant à se décrocher la mâchoire.

Allez-vous arrêter de parler, que je puisse enfin me rendormir?

Rosalie éclata de rire.

— Oh! Champion! Merci de prendre soin de nous.

Elle lui fit un gros câlin et un bisou sur le nez. Quel chien adorable!

CHAPITRE SIX

Quand arriva le vendredi matin, Rosalie était un peu lassée d'entendre son père répéter à quel point Champion était intelligent. Elle avait commencé à plaquer ses mains sur les oreilles de Biscuit afin qu'il ne l'entende pas et ne soit pas blessé par ces paroles. Et puis, comme le disait parfois M. Fortin, qu'est-ce que ça pouvait bien faire que Biscuit ne soit pas une lumière? Il n'était pas nul pour autant. Rosalie lui avait appris à faire au moins sept numéros, comme donner une poignée de main, claquer la paume et rouler.

Rosalie en avait assez d'autres choses, aussi. À commencer par le chili. Le chili de son père était bon, mais était-il nécessaire d'en faire pour tout un régiment? Ils n'en finissaient plus de manger des restes : il y avait eu du chili pour souper mardi, mercredi et jeudi. Trois soirs de suite, et il en restait dans le fait-tout. Même avec de la crème glacée pour le dessert, cela faisait un peu trop de chili à son goût. Rosalie mourait d'envie de manger la lasagne gratinée de sa mère, ses délicieuses côtelettes de porc au four et son plat mexicain bien relevé. Même de la pizza serait la bienvenue. Même de la *pizza congelée*.

En parlant de Mme Fortin, Rosalie en avait assez de son absence. Sa mère lui manquait, et pas seulement à cause de sa lasagne. Même si elle avait téléphoné deux fois le jour précédent et écouté tout ce que Rosalie avait à dire concernant Champion, ce n'était pas comme si elle était là. Rosalie aurait aimé que sa mère revienne à la maison la fin de semaine et non pas lundi.

Rosalie en avait également assez de s'inquiéter du recrutement des bénévoles pour le refuge. Il n'avait pas été facile d'annoncer à Mme Daigle qu'au bout du compte, les amis de Charles ne viendraient pas. Pour compenser, Rosalie avait donné deux heures de plus de son temps au refuge le jeudi après-midi et promis de venir tous les jours après l'école et de rester plus longtemps le samedi.

Et elle en avait vraiment, mais vraiment assez de Daphné. À l'école, lorsque Rosalie avait parlé de Champion, Daphné n'avait pas arrêté de chuchoter à l'oreille de Bianca.

— Daphné, sois respectueuse envers Rosalie quand elle parle, avait dû lui répéter Mme Hamel au moins trois fois.

— Mais Rosalie a parlé de Champion tous les jours cette semaine, avait répliqué Daphné. Ça devient ennuyant à la longue.

Rosalie avait levé les yeux au ciel. Elle était peut-être autoritaire, mais au moins elle n'était pas impolie.

Maintenant, la rencontre du matin était terminée. C'était une période de lecture libre et Rosalie n'arrivait pas à trouver son livre *Les Expériences de Betsy*. Elle l'aimait tellement qu'elle le lisait pour la deuxième fois. Il s'agissait d'une belle histoire ancienne sur une fille qui était allée vivre avec de la famille dans le Vermont.

Rosalie fouilla dans son pupitre, regarda sous son cahier d'orthographe et à l'intérieur de sa chemise de mathématique. Où était donc ce bouquin? Tous les autres élèves étaient déjà en train de lire dans leur coin préféré.

Rosalie se souvint soudain avoir apporté le livre à la maison le jour précédent. Il se trouvait peut-être dans son sac à dos, dans son casier. Elle se leva en soupirant et se rendit derrière la grosse bibliothèque au fond de la classe pour vérifier.

Ah, il était là! Rosalie le tira de son sac à dos. Avec un peu de chance, il lui resterait quelques minutes pour lire. Elle entendit tout à coup un reniflement. Elle se retourna et aperçut une petite silhouette parfaitement immobile dans un coin.

— Jimmy? demanda Rosalie. Est-ce toi?

Jimmy n'était jamais aussi tranquille. Mais elle avait reconnu sa chemise bleue à carreaux et la mèche de cheveux bruns qui lui cachait les yeux. Elle avança d'un pas, hésitante.

C'était bien Jimmy. Il était assis, les bras autour

des genoux, immobile.

— Qu'est-ce qui se passe? demanda Rosalie en s'assoyant à côté de lui.

Il renifla à nouveau et s'essuya le nez avec sa manche.

— Je... j'aimerais tellement avoir un chien, dit-il.

Voilà qui était surprenant.

— Un chien? s'étonna Rosalie.

Il hocha la tête.

— Tu en as de la chance. Tu as un chiot à toi, et en plus tu en gardes d'autres à la maison.

Rosalie était du même avis que Jimmy. Elle était chanceuse. Elle se souvenait d'une époque où elle voulait tellement un chien, tellement qu'elle en aurait pleuré.

— Champion a l'air génial, continua Jimmy. Et intelligent en plus.

Rosalie hocha la tête. Elle venait de comprendre : en l'entendant parler de Champion, Jimmy s'était senti triste.

— Il l'est, approuva-t-elle.

Et soudain, Rosalie eut une idée de génie :

— Ta famille pourrait peut-être l'adopter! s'exclama-t-elle.

Jimmy secoua la tête.

— Je n'arrête pas de leur demander si je peux avoir un chien, répondit-il. J'en prendrais soin, je le promènerais, je le nourrirais, et tout. Mes parents sont divorcés et maman n'en veut tout simplement pas. Elle n'aime pas les chiens. Papa dit qu'il adorerait en avoir un, mais il a parfois des horaires de travail compliqués et il ne voudrait pas le laisser seul à la maison.

Rosalie savait exactement ce que ressentait Jimmy parce qu'elle avait vécu la même chose, très longtemps auparavant. Elle avait désiré un chien pendant des années avant d'avoir Biscuit. Pauvre Jimmy. Elle se redressa soudain en souriant. Elle venait d'avoir une autre idée de génie.

— Eh, Jimmy, dit-elle. Tu te rappelles que tu as dit que tu voulais faire partie du club et donner un coup de main au refuge?

CHAPITRE SEPT

— Bienvenue Jimmy, dit Mme Daigle lorsque Rosalie et lui arrivèrent au refuge. Nous sommes débordés ici ces derniers temps, il y a tant de chiens et de chats qui ont besoin d'une maison. On ne refuse aucun coup de main.

C'est à peine si elle prit le temps de leur sourire : elle était occupée à décharger d'énormes sacs de nourriture pour chien d'un camion.

— Aujourd'hui, enchaîna-t-elle, tu n'as qu'à faire ce que Rosalie te demande. Elle connaît le train-train quotidien.

Jimmy se tourna vers Rosalie et lui fit un salut militaire.

— À vos ordres! lança-t-il.

C'était drôle : maintenant qu'on lui donnait la

permission d'agir avec autorité, Rosalie n'en ressentait pas la nécessité. Après une courte visite du refuge, elle suggéra :

— Tu veux qu'on commence par nettoyer la litière des chats? C'est la pire tâche, autant s'en débarrasser tout de suite.

— OK, approuva Jimmy. J'ai aidé ma tante à changer les couches de mon petit cousin. C'était probablement pire que ça. Pouah!

Il se boucha le nez en souriant à Rosalie.

Rosalie lui retourna son sourire. Jimmy était décidément de meilleure humeur maintenant qu'il se trouvait au refuge. Et il n'était pas trop agaçant. En fait, il n'était pas agaçant du tout. Il l'était peut-être seulement quand il devait se tenir tranquille, comme à l'école. Elle l'emmena dans la chatterie et lui montra ce qu'il devait faire. Jimmy ne répondit pas par une grimace ou un « pff », comme l'aurait probablement fait Daphné. Il se mit simplement au travail.

Lorsqu'ils eurent terminé, Rosalie et Jimmy passèrent quelques minutes avec les chats. Selon

Mme Daigle, il était important qu'ils s'habituent aux gens. Les chatons semblaient adorer Jimmy : ils grimpèrent sur ses épaules pour lui lécher les oreilles. Les mères s'assirent tout près et gardèrent un œil attentif sur leurs petits tandis que Jimmy caressait chacun d'eux en le tenant avec autant de délicatesse que s'il était de porcelaine. Même Tommy, le vieux matou gris, se laissa tomber de son perchoir pour s'enrouler autour des jambes de Jimmy en ronronnant fort.

Rosalie ouvrait de grands yeux. Elle n'avait jamais vu Tommy faire cela avant.

Ensuite, ce fut l'heure d'aller promener les chiens.

— J'adore sortir les chiens, c'est de loin ce que je préfère ici, déclara Rosalie à Jimmy en ouvrant la porte du chenil.

Les yeux de Jimmy s'illuminèrent quand les chiens se mirent à aboyer.

— Ils sont contents de nous voir, dit-il en riant.

Il devait hurler pour se faire entendre tant le vacarme était assourdissant. Il se mit à parcourir les allées entre les cages en s'arrêtant devant chacune pour regarder le chien à l'intérieur.

Rosalie remarqua quelque chose. Tous les chiens continuaient à japper, sauf celui que Jimmy regardait. Le chien (en ce moment, il s'agissait de Mousseline, un petit pékinois) restait calme et regardait Jimmy avec de grands yeux curieux. C'était comme s'il attendait, curieux d'entendre ce que le garçon allait leur dire.

Et Jimmy leur parlait. Il leur disait des choses que Rosalie n'arrivait pas à entendre. Il parlait très calmement en accordant à chacun toute son attention. Il tendait les mains vers les portes des cages afin que les chiens puissent les sentir.

Jimmy se tenait très immobile devant chaque cage. Il était aussi immobile, se dit Rosalie, que lorsqu'elle l'avait trouvé assis dans son casier.

— Tu es très bon avec les animaux, lui dit-elle.

Le garçon hocha la tête.

— C'est ce que j'essayais de te dire l'autre jour. Mon grand-père me surnomme « le chuchoteur ». Il dit que je suis la seule personne que Sadie, son vieux basset-hound, écoute. Elle est très têtue, mais je peux lui faire faire n'importe quoi.

— Super! lança Rosalie.

Jimmy méritait vraiment d'avoir un chien. Mais si ce n'était pas possible, il pouvait au moins venir ici pour profiter de leur compagnie.

— Tu es prêt à les promener? lui demanda-t-elle.

Jimmy hocha la tête avec enthousiasme.

Rosalie le fit commencer par le plus facile : un vieux labrador noir très lent appelé Onyx, qui aimait fureter un peu partout et flairer chaque mauvaise herbe dans la cour. Jimmy le mit en laisse.

— Allez viens, Onyx, dit-il.

Rosalie sortit à leur suite avec un autre labrador au poil doré, Molly. Elle observa Onyx qui trottait derrière Jimmy avec beaucoup plus d'entrain qu'à l'habitude. Après Onyx, elle lui confia Ramon, un petit chihuahua dynamique, puis Popeye, un bouledogue baveux. Elle décida ensuite qu'il était prêt pour Greta.

— Attention, l'avertit Rosalie en lui remettant la laisse très solide. Greta est très forte et elle aime tirer. Ouvre la porte lentement et...

Rosalie s'interrompit. Voilà qu'elle redevenait autoritaire, une mademoiselle je-sais-tout. Jimmy avait été super avec tous les autres chiens. Elle devait peut-être simplement attendre de voir comment il s'en sortirait. Peut-être devrait-elle apprendre à être une mademoiselle j'en-sais-beaucoup, au lieu d'une mademoiselle je-sais-tout.

Comme il fallait s'y attendre, Greta ne tira pas du tout quand Jimmy la promena. Elle sortit de sa cage en flottant presque, digne, majestueuse, et traversa calmement le couloir, les yeux rivés sur Jimmy avec une expression d'adoration totale sur sa face aux grosses bajoues.

Rosalie en resta bouche bée.

Elle se demanda comment réagirait Champion en présence de Jimmy. On aurait dit que les chiens donnaient le meilleur d'eux-mêmes avec lui. Peut-être que Jimmy pourrait faire des miracles avec le chiot endormi?

— Hé! Jimmy! lança-t-elle quand il revint avec Greta. Tu aimes le chili?

Jimmy aimait le chili, et quand Rosalie appela son

père pour lui demander si elle pouvait inviter un ami à souper, il accepta. Rosalie avait espéré qu'il n'y aurait pas assez de chili pour tout le monde et qu'elle devrait manger un sandwich au fromage, mais malheureusement il y en avait beaucoup. Lorsqu'elle arriva à la maison avec Jimmy, Rosalie grimaça en voyant le gros fait-tout en train de réchauffer sur les plaques de cuisson.

Rosalie constata que Jimmy était tombé en adoration devant Champion au premier coup d'œil.

— Regarde-moi ces oreilles pendantes, dit-il en s'assoyant au sol à côté du coussin de Champion.

Champion ouvrit un œil.

Il ouvrit le deuxième.

Et il se mit à battre de la queue.

Hé! On se connaît? Je pense que j'ai envie de faire connaissance!

Il se leva, se secoua jusqu'à ce que ses longues oreilles fassent *flip-flop* et grimpa directement sur les genoux de Jimmy pour lui lécher le menton et mâchouiller le col de sa chemise. Tout comme Jimmy, on aurait dit que Champion avait eu le coup de foudre. Dès lors, Champion ne lâcha pas Jimmy d'une semelle. Il le suivit partout, s'assit à côté de sa chaise au souper et lui apporta sans cesse des jouets pour qu'il les lui lance et s'amuse à tirer dessus. Si Jimmy ne occupait pas de lui pendant une fraction de seconde, Champion s'assoyait sur son arrière-train et y allait de son aboiement rauque qui se terminait par un long et triste *aaaoooooowww*!

À ce stade, plus rien n'étonnait Rosalie. Mais Charles, le Haricot et M. Fortin n'en croyaient pas leurs yeux.

— Qu'est-il arrivé à notre chiot endormi? demanda-t-il en regardant Champion foncer dans le salon en se mesurant avec Biscuit pour voir qui allait attraper en premier le jouet lancé par Jimmy.

Lorsque la mère de Jimmy vint chercher son fils, Champion accompagna le garçon jusqu'à la porte. Jimmy s'agenouilla pour faire un gros câlin au chiot, se releva et se détourna rapidement pour partir. Seule Rosalie remarqua à quel point Jimmy était triste lorsqu'il sortit à la suite de sa mère. Les oreilles de Champion retombèrent et il retourna se coucher sur son coussin d'un pas lourd. Il était triste lui aussi.

C'est alors qu'elle comprit que Champion et Jimmy étaient faits l'un pour l'autre. Il ne lui restait plus qu'à trouver un moyen d'en convaincre la mère du garçon. Et Rosalie était consciente d'être la seule à pouvoir le faire. Après tout, sa propre mère n'aimait pas les chiens non plus jusqu'à ce qu'ils commencent à garder des chiots.

Après le départ de Jimmy, Champion se roula en boule dans son lit, enfouit son museau sous une patte et s'endormit. C'est à peine s'il remua lorsque Rosalie le caressa en lui souhaitant bonne nuit.

— Qu'y a-t-il, M. Leronfleur? demanda-t-elle. Tu n'es pas malade au moins?

Elle toucha son nez. Il était humide, comme devait l'être la truffe d'un chien en bonne santé.

— Champion? fit-elle.

Il ouvrit les yeux un instant, ce qui permit à Rosalie de voir qu'ils étaient clairs et brillants. Quand elle se pencha pour déposer un baiser sur son petit nez noir, elle constata que l'haleine du chien était fraîche. Tous ces signes lui indiquèrent que Champion allait probablement bien. Il avait tout simplement repris ses bonnes vieilles habitudes : il était redevenu Champion, le chien le plus paresseux au monde. Elle le caressa un moment, puis déposa un dernier baiser sur son museau.

— Je crois que je n'ai pas besoin de te souhaiter une bonne nuit, n'est-ce pas?

Rosalie regarda le chiot endormi en secouant la tête.

Puis elle alla se mettre au lit.

CHAPITRE HUIT

Rosalie faisait un de ses rêves préférés, celui où elle visitait le pays des chiens. Il y en avait partout. Elle était comme un petit bateau ballottant sur une vaste mer de chiens. Elle pouvait en voir de toutes les races s'agiter tout autour, même les races les plus rares, comme le komondor. Peu de gens sauraient identifier un komondor, mais Rosalie l'avait reconnu immédiatement. Le gros chien de berger avait le poil long et blanc, comme un rideau de cordes pendant jusqu'au sol, de son nez noir jusqu'au bout de sa queue tombante. Il se pavanait avec les autres chiens et sa fourrure ondulait à chacun de ses mouvements.

Les chiens couraient gaiement dans tous les sens en aboyant. Leurs voix étaient si merveilleuses et différentes. Rosalie entendait le *yip-yip-yip* du chihuahua et le jappement profond et explosif d'un vieux labrador couleur chocolat. Seuls les basenji et les malamutes, des races qui n'aboient pas, restaient tranquilles, attendant que Rosalie vienne les caresser. Elle entendait même le jappement rauque de Champion, avec cette plainte particulière à la fin : *aaaaooooowww*!

Rosalie éclata de rire et tendit les bras pour distribuer des câlins et des caresses. Cinq chiens se précipitèrent et grimpèrent sur elle pour lui lécher le visage et les oreilles. Ils léchaient, bavaient, dégoulinaient...

Eurk.

Rosalie se réveilla en sursaut pour constater qu'il ne s'agissait pas seulement d'un rêve. Elle était réellement en train de se faire lécher.

— Mais Champion, qu'est-ce que tu fais?

Rosalie se redressa dans son lit et s'essuya le visage de la manche de son pyjama.

— Tu es fou! Mais arrête!

Que se passait-il? Champion, le chien le plus

paresseux de toute l'histoire de l'humanité voulait soudain jouer... en pleine nuit?

Champion gémit, sauta du lit et courut vers la porte. Puis il fit demi-tour, revint à la course et bondit sur le lit pour lécher le visage de Rosalie, continuant à geindre et à se lamenter. Il descendit à nouveau du lit pour se diriger à toute vitesse vers la porte. Il tourna la tête vers Rosalie et se mit à gémir, à aboyer et à hurler.

Aaaaoooooowww!

Maintenant, Rosalie était assez réveillée pour se rendre compte que quelque chose n'allait pas. Elle repoussa ses couvertures et attrapa sa robe de chambre.

— Qu'est-ce qu'il y a Champion?

Mais dès qu'elle sortit de son lit, Champion disparut. Elle l'entendit traverser le couloir à la course pour se rendre jusqu'à la chambre du Haricot où il recommença à aboyer et à hurler.

Danger! Danger! Réveille-toi! Réveille-toi!

Rosalie suivit Champion dans le couloir et

s'immobilisa tout à coup en sentant une odeur bizarre. Elle flaira et flaira encore. Et soudain, elle comprit de quoi il s'agissait. De la fumée! Son cœur se mit à cogner dans sa poitrine. Il y avait quelques minutes à peine, elle était plongée dans un heureux rêve rempli de chiens. Maintenant, elle était aux prises avec un cauchemar bien réel : sa maison serait-elle la proie des flammes?

— Papa! hurla Rosalie. Charles! Au feu!

Tandis que Champion dérapait dans le couloir vers la chambre de Charles, Rosalie fonça vers celle du Haricot. Elle le trouva debout dans son lit à barreaux, les yeux écarquillés et les joues rose vif.

— Tout va bien, je suis là, le rassura-t-elle.

Elle tendit les bras pour attraper son petit frère effrayé.

Lorsqu'elle retourna dans le couloir avec le Haricot, son père et Charles étaient levés aussi. Biscuit, l'air endormi, se trouvait aux côtés de Charles.

M. Fortin cria pour couvrir les aboiements et les hurlements de Champion.

— Il n'y a pas de danger dans l'escalier, dit-il, car

il venait de monter et descendre les marches pour s'en assurer. Descendez et sortez par la porte. J'arrive.

Il composait un numéro au téléphone tout en hurlant ses consignes et en leur faisant signe de sortir. Rosalie devina qu'il devait s'agir du 9-1-1.

Bien entendu, les Fortin avaient un plan d'urgence en cas de feu. Rosalie savait que peu importait comment chacun sortait de la maison, le plan restait le même : ils devaient se retrouver près du vieux pommier devant la maison. Ainsi, ils sauraient immédiatement s'ils étaient tous hors de danger.

Rosalie prit le Haricot dans ses bras. Habituellement, il était presque trop lourd pour elle alors que maintenant, il lui semblait aussi léger qu'une plume. Elle attrapa Charles par la main et jeta un regard vers sa chambre espérant avoir le temps de sauver sa collection de modèles réduits de chiens. Mais elle savait fort bien ce que son père aurait dit.

— Allons-y, lança-t-elle en s'engageant dans l'escalier. Toi aussi, Biscuit. Viens, Champion.

Mais lorsqu'elle se retourna, elle devina que Champion attendait que son père les suive aussi. Champion jappa dans la direction de M. Fortin, courut se placer derrière lui et mordilla ses chevilles.

Sors! Sors! Sors!

Il ne cessa d'aboyer que lorsqu'ils furent sortis tous les quatre et réunis à leur point de rencontre, sous le pommier. Sa voix était alors devenue plus rauque que jamais.

Quelques secondes plus tard, Rosalie entendit une sirène. Champion leva le museau au ciel et se mit à hurler, mêlant sa plainte au son de la sirène qui s'approchait. *Aaaaawwwwoooo!*

Biscuit se mit aussi de la partie. Les hurlements donnèrent des frissons d'angoisse à Rosalie. Sa maison était-elle vraiment en feu? Rosalie n'était plus au pays des rêves, aucun doute là-dessus. Elle n'avait pas besoin de se pincer pour le savoir.

Soudain, elle aperçut des lumières clignotantes : le gros camion de pompier remontait leur rue en rugissant, suivi d'une ambulance. Trois autres camionnettes équipées de lumières clignotantes s'arrêtèrent devant la maison et se garèrent un peu n'importe comment. Puis arriva une autre ambulance qui s'immobilisa en faisant crisser ses pneus. En quelques secondes, le parterre fut rempli de pompiers portant l'équipement complet : chapeau, manteau, bonbonne d'oxygène et hache. Ils foncèrent vers la maison et s'engouffrèrent à l'intérieur par la porte avant restée ouverte, tandis que le capitaine Olson et deux urgentistes arrivés en ambulance se précipitaient vers la famille Fortin.

— Tout le monde est sorti? Tout le monde va bien? demanda le capitaine Olson.

M. Fortin hocha la tête.

— Vous savez où l'incendie a commencé?

M. Fortin secoua la tête.

— Il y avait une odeur de fumée, c'est tout ce que je peux dire. Nous sommes sortis aussi vite que possible.

— Le plus important est que vous soyez tous hors de danger, déclara le capitaine.

Il s'essuya le front et sourit à M. Fortin.

— Lorsque nous avons vu votre adresse sur l'appel

911, nous avons contacté tout le monde, même ces gars de Brinville, ajouta-t-il.

Il salua de la main les urgentistes de l'autre ambulance. M. Fortin leur serra la main en les remerciant d'être venus.

Soudain, la porte d'entrée s'ouvrit et Nathalie Lacombe, une pompière, s'avança sur la véranda en tenant quelque chose à bout de bras. Rosalie n'arrivait pas à voir ce qu'était au juste cet objet arrondi.

— Rien de plus que du chili très bien cuit, annonça Nathalie sur un ton enjoué. Il doit être resté sur la cuisinière. Il venait de commencer à brûler.

Rosalie entendit le soupir de soulagement de son père :

— Le chili! s'exclama-t-il en se frappant le front d'une main.

CHAPITRE NEUF

— Je n'arrive pas à croire que je vous ai tous fait venir ici, au beau milieu de la nuit, pour un fait-tout de chili, dit M. Fortin au capitaine Olson.

Rosalie regarda le capitaine juste au moment où il dissimulait un sourire. Allait-il se moquer de son père? Rosalie savait comment les choses se passaient à la caserne. Les pompiers se taquinaient continuellement les uns les autres. Mais il se contenta de secouer la tête.

— La prochaine fois, essaie de ne pas le faire trop cuire, fit-il simplement.

Puis son visage devint sérieux et il ajouta :

— La situation aurait pu s'aggraver. Tu as bien fait de nous appeler.

— C'est vrai, approuva Nathalie. Mais qu'est-ce

qui vous a réveillés? Je n'ai pas entendu d'alarme à l'intérieur. J'imagine qu'il n'y avait pas encore assez de fumée pour la déclencher.

Rosalie regarda Champion, puis son père. Il avait très bien compris le chien : Champion était réellement un petit futé. Elle s'agenouilla pour lui faire un câlin.

— Il nous a sauvés, dit-elle en lui donnant un baiser sur le nez. Champion a aboyé, a léché mon visage et m'a réveillée.

Le capitaine souleva ses sourcils.

— C'est vrai?

Nathalie sourit à Champion et se mit à genoux pour le caresser.

— Bon chien, dit-elle.

Champion s'étira et bâilla.

Est-ce bientôt l'heure de retourner au lit?

Nathalie éclata de rire.

— N'est-ce pas le chiot en adoption dont tu nous as parlé? Endormi, mais brillant. Tu avais vu juste.

M. Fortin hocha la tête. Tous se rassemblèrent autour de Champion pour le caresser. Un des urgentistes de Brinville regarda le père de Rosalie.

— Un chien en adoption? demanda-t-il en laissant Champion lui lécher le visage. Tu veux dire que tu lui cherches un foyer? Mon enfant n'arrête pas de me supplier d'adopter un chien. Il est peut-être temps de céder.

— Beau travail, petit chien, dit un autre des pompiers.

— C'est un héros, déclara Nathalie.

Un autre pompier sourit à Champion.

— Est-ce qu'ils en ont d'autres comme lui au refuge? s'informa-t-il. Je devrais peut-être aller jeter un œil sur les chiens.

Le lendemain, Rosalie fit la grasse matinée, tout comme le reste de la famille. Mais elle se rendit au refuge aussitôt levée. Elle avait tellement hâte de raconter à Mme Daigle les événements excitants de la nuit!

— Il se pourrait qu'un des hommes adopte Champion, déclara Rosalie pour conclure son histoire.

C'était génial, mais elle espérait toutefois arriver

à convaincre en premier la mère de Jimmy. Champion et Jimmy étaient faits l'un pour l'autre, et il y avait beaucoup d'autres chiens au refuge que l'urgentiste pourrait adopter.

— Et un autre homme a dit que si nous en avions d'autres ici, comme Champion, il viendrait faire un tour, ajouta Rosalie.

Mme Daigle essuya une larme. Elle pouvait devenir très émotive quand il était question d'animaux.

— Chaque chien au refuge a tout ce qu'il faut pour devenir un héros, affirma-t-elle. Qu'il s'agisse de sauver une famille d'une maison en flammes ou d'aimer simplement quelqu'un qui en a besoin. Tout ce que ces chiens veulent, c'est un foyer.

Rosalie sentit les larmes lui monter aux yeux.

— Tout le monde doit savoir ce que Champion a fait, déclara-t-elle. Peut-être que les gens viendraient au refuge s'ils savaient à quel point nos chiens sont super, et peut-être qu'il y en aurait plus qui seraient adoptés.

— Exactement, approuva Mme Daigle avec

enthousiasme. Il faut passer le mot. On appelle ça de la publicité et il y a longtemps qu'on n'a pas vanté les mérites du refuge.

— Nous pourrions organiser une cérémonie de remise de médaille pour Champion devant l'hôtel de ville, par exemple, suggéra Rosalie.

Elle se souvint de la cérémonie de l'été dernier en l'honneur d'un pompier nommé Jules. Il avait secouru des canotiers tombés dans le lac après que leur embarcation ait chaviré.

— Le capitaine Olson pourrait lui remettre un certificat, ajouta-t-elle.

Rosalie s'imaginait très bien la suite maintenant. Lorsque la mère de Jimmy entendrait parler du geste héroïque de Champion, elle oublierait qu'elle n'aimait pas les chiens et déciderait de l'adopter. Jimmy aurait enfin le chien qu'il avait toujours voulu et Champion serait parti au retour de Mme Fortin. Le technicien d'urgence médicale et toutes les autres personnes qui auraient été inspirées par la cérémonie viendraient au refuge et adopteraient le reste des chiens sans foyer. Tout fonctionnerait à merveille.

— Je parie que nous pourrions faire ça demain, conclut Rosalie.

Mme Daigle eut l'air surprise.

Oups!

— Est-ce que je suis trop autoritaire? demanda Rosalie.

Mme Daigle balaya la remarque du revers de la main.

— Autoritaire ou non, c'est une excellente idée! s'exclama-t-elle. Et ce n'est pas non plus ta première. Je vais téléphoner au capitaine tout de suite. Mais nous aurons besoin d'un article dans le journal de demain matin afin d'en informer les gens. Crois-tu que ta mère pourrait le rédiger? Elle sait raconter ce genre d'histoires. Elle me fait toujours pleurer quand elle écrit un article sur les animaux.

— Maman n'est pas encore rentrée, rappela Rosalie.

Mme Daigle la fixa.

— Pourquoi ne l'écris-tu pas? demanda-t-elle. Après tout, tu étais là. Tu es un témoin. Je suis certaine que tu pourrais écrire cet article.

— Moi? fit Rosalie.

— Je vais appeler M. Bélanger tout de suite, déclara Mme Daigle. Il adore ce genre de récit. Et il sera enchanté que tu l'écrives.

Rosalie savait qui était M. Bélanger. C'était le patron de sa mère, l'éditeur du *Courrier de Saint-Jean*. Son cœur fit boum-boum dans sa poitrine. Est-ce qu'elle pourrait y arriver?

— J'ai commandé une pizza, annonça M. Fortin à sa fille lorsqu'il vint la prendre au refuge, plus tard dans la journée. Nous pouvons aller la prendre en passant si tu veux.

— OK.

Mais Rosalie n'écoutait pas vraiment. Elle regardait par la fenêtre en essayant de trouver la première phrase de son article. Sa mère disait toujours que cette première phrase, qu'elle appelait « attaque », devait capter l'attention du lecteur. Devrait-elle commencer par les faits? « Champion, un chiot de races mélangées du refuge pour animaux Les Quatre Pattes s'est mis à aboyer à tue-tête pour réveiller la famille Fortin lorsque du chili a commencé à brûler dans la cuisine… » Ou, pourquoi pas quelque chose de plus dramatique : « La vie de quatre personnes a été sauvée lorsque Champion, un chiot héroïque en adoption au refuge pour animaux Les Quatre Pattes, les a tirées de leur sommeil profond pour ensuite les entraîner hors de leur maison en flammes… »

— Rosalie? dit M. Fortin qui, arrêté à un feu rouge, regardait sa fille. Tu m'as entendu? J'ai dit qu'on mangeait de la pizza pour souper.

Il agita une main devant son visage.

— Je croyais que tu serais folle de joie, après tout ce chili, s'étonna-t-il.

— De la pizza, c'est parfait.

Rosalie sourit à son père, mais elle réfléchissait toujours à son article. À la maison, elle avala deux pointes avant de demander la permission de quitter la table. Puis elle se précipita à l'étage et alluma l'ordinateur. M. Bélanger avait promis à Mme Daigle que si Rosalie lui envoyait son article par courriel au plus tard à vingt heures, il le publierait dans le journal le lendemain matin. Quelle belle surprise pour sa famille si l'article était dans le journal à son réveil.

Rosalie travailla fort sur son article, très fort. Champion dormait à ses pieds tandis qu'elle écrivait et réécrivait, s'efforçant de réunir tous les faits en un récit court et captivant. Lorsqu'elle eut terminé, elle le relut une dernière fois avant de l'envoyer. Pas mal comme article.

— Il m'arrive peut-être parfois d'être trop autoritaire, confia-t-elle à Champion, mais j'ai aussi des qualités. Je sais beaucoup de choses, comme l'a dit Maria. Et je n'ai pas peur de dire ce que je pense, comme papa l'a fait remarquer. Je suis gentille et affectueuse, comme le dit maman. Et Mme Daigle avait raison : parfois, j'ai d'excellentes idées.

Elle s'allongea à côté du chiot endormi.

— Je suis un mélange, tout comme toi.

Champion s'approcha de Rosalie en se tortillant, soupira de contentement et lui lécha la joue.

Je t'aime comme tu es.

— Moi aussi je t'aime, Champion, dit Rosalie. Et j'espère que mon article va convaincre la mère de Jimmy que tu es un chien très spécial.

Plus tard cette nuit-là, Rosalie dormait profondément quand elle entendit Champion japper.

— Oh, non, fit-elle en se redressant dans son lit. Pas encore.

— Non, c'est juste moi, entendit-elle sa mère répondre.

Et puis, Rosalie l'aperçut dans l'embrasure de la porte.

— Maman! s'écria-t-elle en sautant du lit pour courir l'embrasser. Tu es rentrée plus tôt!

Mme Fortin éclata de rire en serrant Rosalie dans ses bras.

— J'ai roulé toute la journée. Ta tante Julie va beaucoup mieux et quand j'ai su ce qui s'était passé ici, il fallait que je revienne auprès de vous. Pas question d'attendre une minute de plus, déclara-t-elle à voix basse. Maintenant, retourne au lit avant que tes frères se réveillent. Il est très tard. À demain matin.

Elle déposa un baiser sur la tête de Rosalie.

Rosalie retourna s'allonger dans son lit, certaine d'être trop excitée pour se rendormir. Mais Champion entra à pas feutrés pour se coucher en boule à ses pieds, et ses doux ronflements lui firent l'effet d'une berceuse.

CHAPITRE DIX

« Un héros à quatre pattes »

Mme Fortin venait de lire le titre de l'article à voix haute.

— Qu'est-ce que c'est? fit-elle en examinant l'article de plus près. Par notre envoyée spéciale Rosalie Fortin.

Mme Fortin s'appuya sur le dossier de sa chaise et adressa un grand sourire à sa fille.

— Eh bien!

— Quoi? lança Charles. C'est toi qui as écrit l'article?

Rosalie hocha la tête.

— Ça raconte ce que Champion a fait, expliqua-t-elle.

Réveillée tôt le matin, Rosalie s'était rendue sur la

pointe des pieds dans l'entrée pour aller chercher le journal. Son cœur battait fort. Elle avait lu l'article cinq fois avant de replier le journal et de le déposer sur la table de la cuisine à la place de sa mère.

— Aah, pion! s'exclama le Haricot en agitant sa tartine.

De la confiture tomba sur le plancher, Biscuit et Champion se précipitèrent pour la lécher.

Tout le monde était d'excellente humeur. Quel bonheur que Mme Fortin soit de retour! Charles sautait sans cesse en bas de sa chaise pour aller lui faire un câlin, le Haricot ne voulait pas descendre de ses genoux et M. Fortin lui reversait du café chaque fois qu'elle en prenait une gorgée. Rosalie était heureuse de voir sa mère assise de l'autre côté de la table. Elle lui adressa un sourire rayonnant. Même sans l'article dans le journal, ce matin aurait été plus que parfait.

Mme Fortin avait toujours les yeux rivés sur le journal.

— C'est incroyable, ma chérie, dit-elle. Comment as-tu réussi à convaincre M. Bélanger?

Rosalie haussa les épaules.

— Mme Daigle s'en est chargée, répondit-elle.

Mme Fortin lut l'article à voix haute :

« Champion, un chiot de races mélangées du refuge Les Quatre Pattes, est devenu un héros quand il a senti de la fumée au milieu de la nuit. Le petit chiot s'est précipité à l'étage en aboyant lorsqu'un fait-tout de chili laissé sur la cuisinière a commencé à brûler. »

Mme Fortin abaissa le journal et sourit à Rosalie.

— Excellente attaque, Rosalie, observa-t-elle.

Rosalie souriait jusqu'aux oreilles.

— Continue, continue! lança-t-elle.

Mme Fortin lut l'article jusqu'au bout.

« Champion sera honoré dans le cadre d'une cérémonie spéciale qui aura lieu dimanche à onze heures trente devant l'hôtel de ville. Le public est invité à y assister. »

M. Fortin regarda sa montre.

—À onze heures trente? fit-il. Il faut nous préparer si nous voulons que l'invité d'honneur arrive à l'heure.

Il se leva et commença à desservir la table.

Champion roupillait sur le sol près de la chaise de Mme Fortin. Elle tendit la main pour ébouriffer ses oreilles pendantes.

— Bon chien, dit-elle. Tout un héros!

Champion lui donna un coup de langue endormi.

Moi? Un héros? Si vous le dites.

— Alors, tu n'es pas fâchée qu'on ne lui ait pas encore trouvé un foyer? demanda Rosalie.

— Tu plaisantes? répliqua sa mère. Il vous a sauvé la vie. J'adore ce chiot. Il mérite une médaille!

— Je parie que Champion aura un foyer permanent avant la fin de la journée, déclara M. Fortin. Lorsque les gens apprendront ce qu'il a fait, ils feront la queue pour l'adopter.

Rosalie espérait que la mère de Jimmy serait en tête de file.

— Et d'autres chiens du refuge pourraient aussi trouver un foyer permanent, ajouta Rosalie en brandissant ses doigts croisés. Cette publicité devrait donner de bons résultats.

Tous s'activèrent pour être prêts à temps. À la dernière minute, le téléphone sonna. M. Fortin répondit.

— Allô?

Un moment plus tard, il fit un signe de la main à sa femme.

— Allez-y, dit-il. Je vais prendre l'autre voiture.

Puis, il retourna à sa conversation téléphonique.

Lorsque le reste de la famille Fortin et Champion arrivèrent à l'hôtel de ville, une petite foule avait déjà commencé à se rassembler. Mme Daigle était là et distribuait des dépliants faisant la promotion d'autres chiens en adoption au refuge des Quatre Pattes. Rosalie lui fit signe, puis elle aperçut Jimmy. Sa mère se tenait derrière lui, les mains sur ses épaules. Rosalie courut le saluer.

— J'ai fabriqué quelque chose pour Champion, annonça Jimmy.

Il plongea la main dans la poche de sa veste et en sortit une médaille suspendue à un large ruban rouge. Elle était faite de carton couvert de papier aluminium. Le mot « HÉROS » y figurait en grosses lettres.

— Wow! s'exclama Rosalie. Ma mère vient justement de dire que Champion mérite une médaille, mais je n'avais pas pensé à en fabriquer une. C'est super!

Jimmy s'agenouilla pour accrocher la médaille au cou de Champion. Puis il le serra longuement dans ses bras et l'embrassa sur le nez. Rosalie eut la gorge nouée en voyant Jimmy murmurer quelque chose à l'oreille de Champion. La queue du chiot s'agita de gauche à droite et il lécha la joue de Jimmy. Comment la mère de Jimmy pourrait-elle résister en voyant à quel point son fils et Champion s'aimaient? Peut-être que d'ici la fin de la cérémonie, elle aurait décidé d'adopter le chiot.

— Hé, Rosalie! lança quelqu'un.

Elle tourna la tête et vit Daphné et Bianca.

— Ton article dans le journal était super, dit Daphné.

Rosalie se rendit compte qu'il n'était pas facile pour Daphné de faire des compliments.

— Merci, répondit-elle.

Maintenant, c'était peut-être à son tour de la complimenter. Après tout, même si Daphné était désagréable, elle avait très bien su prendre soin des animaux au refuge. Elle était aussi un mélange.

— Qui sait, poursuivit Rosalie, si Champion n'avait pas été là, notre maison aurait peut-être brûlé. Et c'est toi qui as eu l'idée que ma famille l'accueille. Alors je crois qu'on te doit un gros merci.

Daphné sourit.

— Je pourrai peut-être aller au refuge cette semaine, dit-elle.

— Moi aussi, ajouta Bianca. Tu crois que Mme Daigle a encore besoin de notre aide?

— J'en suis certaine, répondit Rosalie. Je sais qu'elle sera très contente de vous revoir.

Daphné et Bianca s'agenouillèrent pour faire des câlins à Champion tandis que Rosalie et Jimmy échangeaient un sourire.

Le capitaine Olson s'avança alors vers le microphone au haut des marches, et d'un geste de la main réclama l'attention de la foule.

— Bienvenue à tous, dit-il. Merci d'être venus

honorer un héros de chez nous.

Il brandit un certificat.

— J'aimerais offrir ce prix à Champion, un brave et attentif membre temporaire de la famille Fortin, ajouta-t-il.

Le capitaine Olson raconta comment Champion avait senti la fumée et réveillé toute la maisonnée avant que les choses ne s'aggravent. Il s'adressa ensuite à Rosalie.

— Rosalie, veux-tu amener Champion?

Rosalie baissa le regard vers le chien qui s'était affalé sur une de ses espadrilles pour piquer une sieste.

— Psst, Champion, dit-elle. Réveille-toi! C'est l'heure d'aller chercher ton prix.

Champion étira ses quatre pattes et grogna.

Suis-je vraiment obligé?

Champion se leva enfin et se laissa mener par Rosalie au haut des marches. Sa médaille scintilla au soleil quand il s'assit à côté du capitaine Olson. Un photographe s'avança et prit des photos au moment où le capitaine remettait le certificat à Rosalie. En le prenant, Rosalie laissa échapper quelques larmes. Elle était tellement fière de Champion!

— Merci, dit-elle tandis que la foule applaudissait.

Son regard rencontra celui de Mme Daigle et elle ajouta :

— Et n'oubliez pas, il y a beaucoup d'autres chiens fantastiques au refuge des Quatre Pattes. Ils cherchent tous une famille.

Rosalie se pencha pour montrer le certificat à Champion. Lorsqu'elle se redressa, elle aperçut son père qui montait l'escalier en compagnie d'un homme qu'elle crut reconnaître.

— Nous avons une annonce à faire, dit son père en se penchant pour parler dans le micro. Je vous présente Marc, qui a rencontré Champion la nuit où il est devenu un héros. Marc est un urgentiste de Brinville. Il m'a téléphoné ce matin pour m'annoncer qu'il avait décidé d'adopter Champion et de lui offrir un magnifique foyer permanent.

C'est là que Rosalie l'avait vu! Il s'agissait de

l'homme qui voulait adopter Champion. Et maintenant, c'était lui qui s'était décidé le premier, avant que la mère de Jimmy ait la chance de changer d'idée et d'adopter Champion. Rosalie avait le cœur à l'envers. Elle se retourna pour chercher le visage de Jimmy dans la foule. Elle osait à peine regarder, s'imaginant à quel point il devait être déçu. Mais Jimmy, un sourire jusqu'aux oreilles, montait l'escalier deux marches à la fois.

— Papa! s'écria-t-il. C'est vrai? Tu es sûr?

Il se jeta dans les bras de Marc.

Rosalie était étourdie. Son propre père vint lui passer un bras autour des épaules.

— N'est-ce pas fantastique? chuchota-t-il. Il se trouve que Marc est le père de Jimmy. Les gars de son équipe veulent Champion comme mascotte de leur caserne. Marc a téléphoné juste avant que nous partions pour dire qu'il s'était décidé. J'étais tellement content de lui annoncer à quel point Champion et Jimmy s'aimaient déjà!

— Peux-tu le croire, Rosalie? fit Jimmy qui était maintenant à genoux les bras autour du chiot.

Champion va être mon chien à moi!

Rosalie dut s'essuyer les yeux une fois de plus. Il ne faisait aucun doute dans son esprit : Champion avait trouvé un foyer parfait.

À PROPOS DE L'AUTEURE

Ellen Miles aime écrire sur les différentes personnalités des chiens. Elle est l'auteure de nombreux livres pour les Éditions Scholastic. Ellen aime sortir en plein air tous les jours. Selon les saisons, elle fait de la randonnée, du vélo, du ski ou de la natation. Elle aime aussi lire, cuisiner, explorer sa belle région, et passer du temps avec sa famille et ses amis. Elle habite dans le Vermont, aux États-Unis.

Si tu aimes les animaux, tu adoreras toutes les merveilleuses histoires de la collection *Mission : Adoption!*

EN SAVOIR PLUS
SUR LES CHIOTS

Champion peut sembler paresseux, mais il est aussi alerte et attentif. Comme tous les chiens, il a sa propre personnalité. Une partie de leur personnalité est liée à leur race : la plupart des bergers allemands aiment prendre soin de leurs maîtres, les labradors dans l'ensemble sont gauches et sympathiques, alors que beaucoup de terriers peuvent être autoritaires.

Mais chaque race a ses différences, tout comme les gens! Certains chiens ont un grand sens de l'humour alors que d'autres sont très sérieux. Certains aiment jouer, d'autres préfèrent dormir. Certains chiens sont amicaux, d'autres sont timides.

Nous contribuons aussi à façonner la personnalité de notre chien en encourageant certains comportements et en en décourageant d'autres. Si tu récompenses ton chien quand il se montre sympathique, il voudra faire preuve de sympathie plus souvent.

Réfléchis à la personnalité de ton propre chien. Quels traits sont propres à sa race, quels autres viennent de ta façon de le traiter, et quels sont ceux qui font partie de son caractère?

Chères lectrices, chers lecteurs,

Le personnage de Champion s'inspire d'un de mes meilleurs amis à quatre pattes, un chien drôle et mignon appelé Barley qui habite juste à côté de chez moi. Barley est un mélange de berger allemand et de Walker hound, tout comme Champion. Il adore dormir et il peut être grincheux si on essaie de le réveiller. Mais il adore aussi jouer, surtout avec Ursa, qui est mi-labrador, mi-samoyède. Barley adore m'embrasser, mais il n'aime pas qu'on l'embrasse! Il aime les gourmandises et il les prend délicatement dans ma main. Il adore pourchasser les écureuils, faire de longues balades dans les bois et des promenades en voiture. Barley n'est peut-être pas un héros comme Champion, mais il a une personnalité spéciale, adorable, et je suis contente qu'il soit mon ami.

Caninement vôtre,

Ellen Miles

P.-S. Si tu aimes les chiots intelligents, je te conseille de lire RÉGLISSE!